LES DOIGTS PLEINS D'ENCRE

Doisneau
Cavanna

Les doigts pleins d'encre

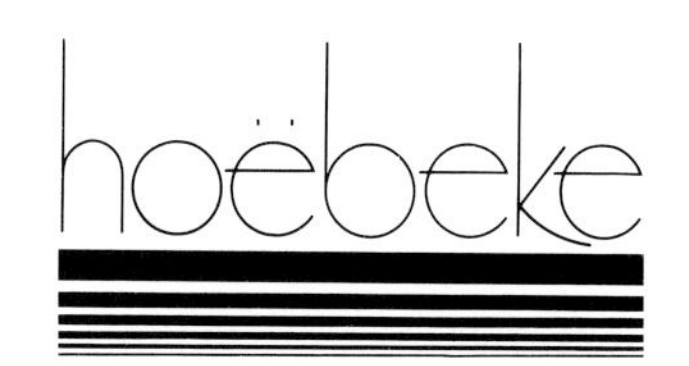

© 1989, Éditions Hoëbeke
Dépôt légal : Octobre 1989
ISBN : 2-905292-23-7

Pour les derniers de la classe et les premiers dans la rue.
Robert Doisneau

A tous ceux qui furent des gosses au moins une fois.
Cavanna

Le trou de l'encrier

1 2 3 4 5
1 2 3 4 5
6 7 8
7
+3
10

qu
k
ç=s
ç-s
citrouille
cygne

balance
un garçon
pas de caleçon

Nos culottes sont courtes, nos genoux couronnés, nous sommes, à la récré, nos ancêtres les Gaulois ou les mousquetaires du Roy, ça dépend d'où on en est en Histoire de France, en tout cas on se tape dessus à terribles coups de cache-nez roulés serré serré — c'est ça qui fait mal, tiens ! —, ce sont nos rapières et nos haches d'armes, naturellement personne ne veut être les Romains ou les sales Boches, alors il faut commencer par filer des billes d'agathe à des petits pour qu'ils s'y collent, ou alors leur taper dessus si tu es économe de tes billes et si le maître regarde de l'autre côté.

Ces jeux héroïques et violents se pratiquent l'été, va savoir pourquoi. Nous rentrons en classe rouges comme écrevisses et ruisselants de sueur, les narines collées par la poussière.

L'hiver, cela va sans dire, on joue aux billes, sport peu réchauffant. L'onglée nous tire des larmes qui gèlent sur nos joues, nos doigts bleuis, maladroits comme des moignons, ne sentent même plus le contact des billes de terre cuite vernissée. On s'acharne cependant, la goutte au nez. Nos rires de victoire font éclater les crevasses de nos lèvres et s'achèvent en sanglants gémissements. Car les hivers sont cruels, les lèvres se fendent de gerçures, et le pire c'est quand, à la bonne chaleur de la classe, le sang se remet à courir jusqu'au bout de nos doigts gourds de froid. Là, oui, les larmes te coulent.

L'automne est la saison des marrons d'Inde, ou des pompons de platane, ou des pieds-de-nez, ça dépend des arbres qui poussent tout autour de la cour. Les pieds-de-nez sont les fruits légers qui tombent en tourbillonnant des érables et que le vent disperse au loin. Les graines vont par deux, soutenues dans les airs par un aéronef fait de deux ailes en V réunies à la base. Chaque aile, délicatement fendue par l'ongle et collée à cheval sur l'arête du nez à grand renfort de salive, nous fait une corne, une corne de rhinocéros. Le maître est content, il voit qu'on a bien écouté la leçon sur les mammifères.

Nous autres, les grands, on écrit à l'encre, avec de la vraie encre. Nous trempons nos plumes sergents-majors dans le petit encrier de faïence blanche en forme de pot de fleur enfoncé dans le trou de la table étudié pour. La table est de chêne massif et trapu, on y grave son nom au canif ou, si on est un vrai dur de dur, au Laguiole ou à l'Opinel, prestigieuses lames de voyous à cran d'arrêt ou à virole tournante qui vous classent tout de suite un type très haut dans l'échelle des valeurs sociales. Le chic suprême, c'est quand la lame du couteau dépasse la largeur de la paume, parce qu'alors ça veut dire que la lame peut percer le cœur d'un homme, et nous ne manquons pas de faire remarquer, avec un frisson, que c'est défendu par la loi et que si un flic te pique avec un schlass comme ça dans la poche t'es bon pour la prison et il faut que ton père vienne t'y chercher, la honte !

Graver son nom dans le bois de sa table est sévèrement puni. Mais les tables sont là depuis si longtemps, depuis l'invention de l'école, peut-être bien, que des générations de noms s'y entremêlent, profondément

entaillés ou à peine effleurés, certains très artistement ornés de volutes ou travaillés en gothique haute époque, et l'astuce consiste à faufiler ton nom à toi dans le fouillis de telle façon que seul un initié sait le déchiffrer. Un décrypteur patient peut même reconstituer des phrases entières ainsi dissimulées : « Nabu est un con » (« Nabu », diminutif de « Nabuchodonosor », c'est bien sûr le surnom de l'instituteur), ou bien « la mère Bouchacourt bouche la cour » (Madame Bouchacourt est effectivement un peu rondelette), ou encore « Alerme n'a qu'une couille, et elle est toute petite ».

Les pauvres ont un plumier, creusé dans un bloc de hêtre et fermé par un couvercle coulissant qui se coince à tous les coups. Il y a aussi des plumiers en carton bouilli verni noir avec des fleurs dessus, très joli, mais ceux-là font gonzesse, on les laisse aux filles. Les riches ont des trousses en cuir imitation croco que tu dirais du vrai, avec dedans des petites brides pour tenir en place les crayons et tout le bazar, vachement bien foutues, tiens, il y a la bride pour le taille-crayon, la bride pour la gomme, la bride pour le compas, si tu te trompes, que tu essaies d'enfiler un truc à une place qu'est pas la sienne, ça marche pas, rien à faire, finalement être riche c'est pas tellement marrant, en plus qu'ils ont des beaux habits qu'il faut pas qu'ils salissent, des pull-overs avec des dessins dessus, des pantalons de golf que nous on appelle des culottes à chier dedans, s'ils filent un coup de pied dans un gros caillou pour jouer au foot, crac, ils s'écorchent les belles tatanes en cuir jaune. Nous, nos affaires, on les bourre en vrac dans nos plumiers, nos tabliers noirs on a pas les jetons de les dégueulasser, ils sont faits juste pour ça, et nos tatanes c'est des galoches avec la semelle en bois, quand tu cavales sur les pavetons tu dirais la Grande Guerre, et quand tu loupes le ballon et que le copain prend ça sur l'os du devant de la jambe, là où qu'il y a juste la peau dessus et pas de viande, qu'est-ce que ça peut faire mal, la vache ! L'été, on porte des sandales à trous et pas de chaussettes dedans, ou alors des socquettes.

Nos mères veillent à ce que nos cols de chemise soient toujours bien blancs, nos galoches cirées et nos pull-overs reprisés. La reprise n'est pas honteuse, seul l'accroc l'est. Des gens tout à fait convenables portent des pantalons avec des reprises aux genoux, ça veut dire qu'ils ont à la maison une femme soigneuse et pas feignante qui ne tolérerait pas que son homme ou ses gosses aillent par les rues avec des trous. Même, les mères de famille ont tendance à faire des reprises épaisses, bien visibles, en contrastant carrément les couleurs, c'est leur gloire et leur fierté. « Ça craquera peut-être à côté, mais sûrement pas là où je l'ai réparé ! », tel est le chant de victoire de la mère vertueuse qui remet solennellement à son brise-fer de fils le fruit de ses veilles.

Nos mères veillent aussi tout spécialement sur nos mouchoirs. Dans les petites classes, chaque matin, avant d'entrer, tandis que, en rang par deux dans la cour, nous attendions qu'on nous ouvre la porte, le maître ou la maîtresse nous faisait montrer nos mains, si elles étaient sales il donnait un coup de règle très sec sur les doigts, et puis il nous faisait présenter nos mouchoirs. Celui qui n'avait pas de mouchoir récoltait une

mauvaise note. Comme il commençait toujours par les derniers de la queue, tandis qu'il avançait on faisait passer en douce des mouchoirs de main en main pour ceux des premiers rangs qui n'en avaient pas. Les maîtres, ça a horreur qu'on renifle en classe. Mais nous, mouchoir ou pas, il nous pendait au nez d'épaisses morves vertes que nous faisions remonter de temps à autre d'un énergique froncement de narine, sans même y penser. Nos mouchoirs servaient à bander nos genoux où béait toujours quelque plaie sanguinolente. Le sol de la cour de récréation était de ciment, avec plein de saloperies de petits silex pointus répandus dessus. Quand tu te ramassais un gadin, la peau de tes genoux restait accrochée aux silex, tu t'ouvrais des fois « jusqu'à l'os ». « Jusqu'à l'os » était le comparatif suprême, l'horreur absolue. Se couper le doigt jusqu'à l'os, s'ouvrir le front jusqu'à l'os, voilà qui faisait blêmir les copains !

Au premier rang, juste devant l'estrade où il y a le bureau du maître, tous les bons élèves sont là, alignés bien sages. Tous ceux qui lèvent le doigt les premiers pour répondre aux questions. La deuxième rangée de tables, c'est encore des bons, mais déjà pas aussi bons, quand même. Et ça va comme ça de moins en moins bons jusqu'au dernier rang, tout au fond contre le mur, si bien que là-bas c'est rien que les terreurs, ceux qui s'en foutent pas mal de l'école et que même le certif ça leur fait pas peur. Nous on se dit comme ça que c'est pas normal, c'est ces gars-là qui devraient être tout devant, bien sous le nez du maître, à peine ils commenceraient à faire leurs tours de cons, à peine à peine, aussitôt, crac, un coup de la grande baguette sur les doigts et hop, au coin. Tandis que là, bien planqués derrière les autres, ils font tranquillement tout ce qu'il veulent, et ce qu'ils veulent c'est rien que des conneries et faire des misères aux petits. Le maître fait celui qui voit pas, sauf quand un petit se met à gueuler trop fort et à pleurer, alors là, le maître fait sa voix sévère et il envoie le petit au coin. Du coup, qu'est-ce qu'ils se marrent, les mauvais sujets !

Si un mauvais sujet du fond de la classe se mettait à écouter, même rien qu'une fois, il trouverait que c'est vachement intéressant, mais ça, il peut pas, parce que quand on est un mauvais sujet et une graine de voyou on peut pas changer comme ça, on se ferait foutre de sa gueule par les copains, faut comprendre, on peut pas d'un seul coup devenir une gonzesse et un chouchou à sa maman. Pourtant, c'est chouette quand le maître nous explique par exemple la Vie des Abeilles avec une grande image en couleurs qu'il accroche par-dessus le tableau noir, et il nous montre au fur et à mesure avec sa baguette. Au milieu, il y a une abeille grosse comme un cochon, un petit, mais quand même... C'est pour qu'on voit bien les détails jusqu'au fond de la classe, justement, parce qu'en vrai une abeille c'est si petit, on pourrait rien voir. Elles ont six pattes, les abeilles, j'aurais jamais cru, je les dessinais toujours avec quatre pattes, j'en dessinais pas souvent, heureusement. Et elles ont sur la tête des antennes qui piquent pas, pourtant on croirait bien, mais c'est

leur cul qui pique, il y a dedans un machin pointu qui sort quand l'abeille est en colère et qui pique très très fort, et après ça devient tout rouge et ça fait une cloque. Le maître nous explique que l'abeille meurt chaque fois qu'elle pique, c'est un animal courageux parce qu'elle fait ça pour pas qu'on lui fauche le bon miel qui nourrira ses petits abeillons pendant l'hiver. Et c'est aussi un animal utile parce que sans elle on n'aurait pas ce bon miel pour mettre sur nos tartines et cette belle cire jaune que quand il y en a sur les parquets on se casse la gueule, à tous les coups.

Nous devons aimer et protéger les animaux utiles, comme la vache qui nous donne son bon lait crémeux et son petit veau bien tendre, le porc (c'est le cochon, mais en moins malpoli) qui nous donne son jambon et son boudin, le chien qui mord les voleurs et rapporte les lapins à la chasse. Il y a aussi les animaux nuisibles, ceux-là il faut les détruire, c'est les puces parce qu'elles nous chatouillent, les poux parce qu'ils donnent des maladies qu'on appelle les épidémies, les chenilles qui mangent les salades et les asticots qu'il y a dans les prunes pas bonnes. Heureusement, il y a les oiseaux, qui sont des animaux utiles parce qu'ils mangent les animaux nuisibles.

Il y a aussi des animaux qui ne sont ni utiles ni nuisibles parce qu'ils ne servent à rien mais ne détruisent pas les récoltes, comme, par exemple, la cigale et la fourmi. La fourmi est travailleuse, elle n'arrête pas de porter des bouts de bois sur son dos toute la journée en courant sur ses petites pattes. Nous devons admirer la fourmi et nous inspirer de la leçon qu'elle nous donne. La cigale est une grosse feignante qui ne pense qu'à rigoler et à chanter, on l'a appris dans une fable de La Fontaine qu'il fallait réciter par cœur. Le maître nous a expliqué que cette fable devait être comprise avec finesse parce que ça fait semblant de parler d'animaux comme la cigale et la fourmi, pour ne pas vexer les gens humains, mais que si tu es instruit, comme un qui a été à l'école, tu comprends que la fourmi ça veut dire les enfants travailleurs et la cigale les gros paresseux, comme par exemple les mauvais sujets du fond de la classe. Ça nous faisait réfléchir profond et on était bien contents d'être des bons sujets ou des moyens sujets, et alors on regardait au fond de la classe tous ces mauvais sujets qui allaient finir misérablement comme la cigale, peut-être même sur l'échafaud, et c'était bon aussi, de se dire ça. Mais les mauvais sujets, ça les faisait rigoler, et ils imitaient le cri de la cigale, mais comme ils ne connaissaient pas ce cri-là ils faisaient « Meuh... Meuh... » dans leur case, ça résonnait terrible.

A l'école maternelle, on nous apprenait des rondes, qui sont des chansons pour les tout petits enfants. A la grande école, on chante des choses très belles qui nous disent comme le monde est bien fait et comme c'est merveilleux de se lever au chant du coq, de se laver à l'eau froide en cassant la glace et de partir travailler dans le petit matin en chantant une joyeuse chanson.

PREMIER COUPLET
Il fait jour, le ciel est rose,
L'horizon vermeil.
Quand la lune se repose,
Lève-toi, soleil !
On entend sous la feuillée
Les oiseaux siffleurs
Et l'abeille réveillée
Dit bonjour aux fleurs.

DEUXIÈME COUPLET
En rêvant de belle eau fraîche
Meuglent nos grands bœufs,
Ils voudraient quitter leur crèche
Pour les prés herbeux.
Ma petite sœur Nicole
Cherche son fuseau,
Moi je m'en vais à l'école
Gai comme un oiseau.

Voilà ce qu'on chante tous ensemble, chaque matin, avant de commencer la classe. Si bien que nous, les enfants du caniveau et du bec de gaz, nous vivons, à l'école, dans un monde de vertes prairies et de grands bœufs mugissants, de gais laboureurs et de maréchaux-ferrants faisant sonner l'enclume, de sources moussues et de frais ruisseaux jaseurs...

Sur les murs, autour de la classe, il y a des affiches très jolies, c'est des réclames des Chemins de Fer où on voit des paysages de notre belle France. Quand tu cherches la solution du problème ou bien s'il faut mettre un « s » au participe passé, tu lèves le nez pour bien réfléchir et alors tes yeux tombent sur une de ces affiches, celle qui est la plus près de toi, et voilà que tu oublies le problème de robinets et le participe vicieux, voilà que tu es dans ce beau paysage, avec les vaches et les moutons, ou dans ce terrible château du temps des rois, tu galopes tagada-tagada, et soudain le maître dit « Je ramasse les copies ! », tu retombes de là-haut, tu écris à toute vibure n'importe quoi, ils ne devraient pas mettre des belles choses au mur qui font rêver, moi je trouve. Mais le maître dit que ça développe notre sensibilité et notre amour de la patrie.

BUFFON

Fleurs de pavé

A certains moments de l'année, les marelles fleurissent sur les trottoirs. Sur les marelles sautent, à cloche-pied, les petites filles, et leurs nattes, de chaque côté, sautent en cadence. La marelle est en principe un jeu de filles, mais les garçons y jouent aussi, quand ce n'est pas la saison des billes, qui, pour les filles, est la saison de la poupée.

La marelle se trace sur le pavé avec un morceau de plâtras détaché d'un vieux mur. Après, le plâtras sert de palet. Il existe des quantités de marelles, mais la plus belle, celle qui a supplanté toutes les autres, c'est l'avion, et d'abord c'est la plus moderne, il n'y a rien de plus moderne qu'un avion. Les filles y jouent sérieusement, gravement, même. Les garçons, ça se bouscule, ça fait les singes et les grosses brutes, ça finit toujours par des bagarres.

Une rue à gosses, les adultes ont intérêt à l'éviter ou à se faire transparents. Les mômes y font la loi, et même les voitures sont obligées de s'arrêter quand dévalent par le milieu de la chaussée les « traîneaux » d'enfer : quatre roulements à billes plantés aux flancs d'un méchant bout de planche. Les enfants gâtés font des courses de patins à roulettes, chacun est un champion célèbre de bagnole, ils se collent sur le dos et par-devant des papiers avec « Chicorée Leroux », « Pernod » ou « Lisez Spirou » pour faire plus vrai.

La rue, c'est la jungle. La rue, c'est la vie. Les immeubles comme des falaises, et plein de trucs qui invitent à l'escalade. Les mômes ont un instinct de chèvre qui les pousse à toujours grimper, toujours plus haut. Les fontaines, les statues, les réverbères, tout ça est tellement tentant, on se fait la courte échelle, le premier en haut tire les autres, une grappe de bérets et de fonds de culotte gigoteurs pend et cache le machin.

Un jeu, ça commence toujours par compter. Compter, c'est, en principe, laisser le hasard décider de qui s'y collera. En fait, c'est se livrer à une opération magique au bout de laquelle celui qui s'y colle est effectivement la pauvre pomme qu'on avait d'avance sacrifiée entre copains. La comptine la plus chouette est « Une souris verte... ». Les fils à papa comptent par « Amstramgram... » pour bien montrer qu'il font du latin. Quand on devient plus grand, on compte avec les pas : celui qui, au milieu du parcours, se retrouve le pied dessous, s'y colle. Naturellement, on peut mettre le pied en travers, et même marcher sur la tranche de la semelle. De toute façon, c'est la partie la plus marrante du jeu, mais ça, on ne le sait pas. D'ailleurs, le jeu lui-même, c'est rare qu'on arrive jusque-là, on s'est traités de tricheurs bien avant, les tatanes ont volé dans les tibias, les coups de poing ont atterri sur les nez, les filles se sont mises à crier, les mères et les voisins à surgir aux fenêtres, parce que, naturellement, on fait du raffut et on se déchire les vêtements.

Il faudrait élever une statue au gars qui a inventé les sonnettes. Tirer là-dessus, on ne s'en lasse pas. Surtout dans les rues à pavillons, surtout s'il pleut, quand la bonne femme doit traverser tout son bout de jardin avant d'arriver à la grille. On guette si un autre môme se pointe au bout de la rue, un sale con qu'on n'aime pas, autant que possible. Lorsqu'il est juste à bonne distance, on sonne et puis on se tire à toutes pompes. Quand la vieille s'amène, elle trouve l'autre tordu qui arrive en plein à

TEL DU CANTAL
24

NATIONALE
LOTERIE
ROSE

hauteur de sa porte, et c'est lui qui se fait engueuler. La crise!

Une blague qu'on adore, c'est le coup du porte-monnaie. Tu prends un vieux porte-monnaie, tu bourres dedans du papier journal pour qu'il ait l'air bien rempli, tu l'accroches au bout d'un fil fin mais costaud, tu le poses au milieu du trottoir, tu caches le fil sous la poussière, et alors, avec les copains, tu te planques derrière une porte qui se trouve là, tu l'ouvres à peine à peine, juste une fente, il faut se retenir de se marrer, attention, et bon, un type s'amène, ou une bonne femme, ils n'en croient pas leurs yeux, ils regardent mine de rien à droite à gauche, et crac, vite ils se baissent pour ramasser le morlingue. A ce moment-là, toi, tu tires sur le fil, un bon coup sec, t'ouvres grand la porte et tu sors avec les copains en rigolant et en criant « Oh, la voleuse! » ou « le voleur! », ça dépend. Il y en a aussi qui tartinent du caca après le porte-monnaie, et ils laissent le client s'en mettre plein les doigts avant de tirer sur le fil. Mais ça, c'est vraiment méchant.

Ce qui est bien, c'est la bande. Tu peux pas être de la bande si t'es pas de la rue. Les gars des autres rues, on les méprise, c'est tous des pauvres cons. Ils ne viennent pas dans notre rue, même juste pour passer. Nous non plus on ne va pas chez eux. Ou alors tous en bande, avec nos lance-pierres et nos cache-nez tortillés serré, pour punir ces dégonflés qui nous ont traités avec des gros mots dégueulasses, suppose.

Un copain qui a des sous au fond de sa poche, ça c'est un vrai de vrai copain. Il y en a qui ont des sous mais qui le disent pas. C'est des égoïstes et des gourmands. Ils s'achètent des bégots en cachette et ils vont se les manger tout seuls dans un coin, c'est pas marrant, faut être pas normal. Les bégots, c'est les bonbons rigolos qu'on achète dans la boutique à côté de l'école: des grosses fraises toutes rouges bien chimiques qui te barbouillent la figure, des roudoudous dans la boîte en bois que tu lèches jusqu'à ce que le bois te râpe la langue, des rouleaux de réglisse noir avec une perle en bonbon au milieu, des aspirfrais qui sont de la poudre très bonne dans un petit sac avec une paille pour aspirer. Il y a aussi les carambars et les malabars, et aussi les cigarettes en chocolat, mais ça c'est pour les tout-petits, les bébés. Nous, on met nos sous ensemble et on s'achète des vraies pipes, on se les fume dans des coins secrets, ça donne mal au cœur, alors on a peur, on se dit que c'est le cancer du poumon qui rapplique, juste comme le maître a dit en classe, merde, vachement la trouille on a, faudrait le dire aux parents pour qu'ils t'emmènent chez le médecin vite vite, quand c'est pris au début t'as une petite chance, oui mais faudrait avouer qu'on a fumé, et les sous, hein, où tu les a pris, les sous, petit voleur? Alors, bon, on attend la mort, et puis on se dit que, crever pour crever, autant fumer la sèche jusqu'au bout, et alors on dégueule, et justement c'est ça qu'il fallait, c'est le cancer qui s'en va, ouf, t'es sauvé, mais qu'est-ce que t'as eu peur!

Les bandes dessinées, c'est hyperchouette, mais tu peux pas les acheter toutes, alors on s'échange. Si tu te démerdes bien, tu peux arriver à les lire

toutes, tous les illustrés, sans jamais en acheter un seul. Moi, ce que j'aime le plus, c'est Superman et Tarzan, parce qu'ils peuvent faire tout ce qu'ils ont envie, ils ont des super-pouvoirs. Moi, à leur place, je perdrais pas mon temps à courir après les bandits, je profiterais de mes super-pouvoirs pour me taper toutes les gonzesses, ah, la vache ! Il y en a des drôlement mignonnes, dans les BD, des avec des longues jambes, longues longues, et des jupes fendues, et des nichons bien pointus. Ça fait vachement rêver, les gonzesses, y a rien qui fait rêver autant. Quand on voit une bagnole avec une belle gonzesse dedans qui s'arrête le long du trottoir, vite on cavale pour se mettre juste bien en face pour quand la gonzesse va ouvrir la porte et sortir ses jambes, à ce moment-là tu lui vois ses belles cuisses blanches et même sa culotte, tout au fond, ouah ! Prendre un jeton de mate, ça s'appelle.

Il y a des filles, c'est des copines, elles nous laissent regarder tant qu'on veut si on leur file un carambar ou deux malabars, ça dépend des filles, alors on va dans une cave peinarde qu'on connaît, la fille s'asseoit sur une caisse, elle dit « Vous pouvez regarder, mais pas toucher, c'est défendu ». On s'asseoit par terre en rond bien en face, et voilà, elle lève sa jupe, à peine à peine. Nous, on gueule « Ouah, dis, hé, ça compte pas, on voit rien du tout ! ». Et puis on la baratine pour qu'elle lève plus haut, et après pour qu'elle enlève la culotte, des fois ça prend du temps, mais ça vaut le coup, on regarde bien bien, et on essaie de toucher, de lui faire un petit bisou juste là, mais là, elle pleure, elle dit « Si je vous laisse faire, vous direz partout que je suis une salope, alors ! ». C'est comme ça, les filles.

Ce qui est chouette, c'est le cantonnier, quand il ouvre l'eau pour nettoyer la rue. L'eau se met à bouillonner et à remplir le caniveau, ça dégringole la pente comme les torrents dans la montagne qu'on voit sur les images de notre belle France qu'il y a sur les murs de la classe. On se met pieds nus et on cavale dans l'eau, on la fait claquer, ça saute en l'air, qu'est-ce qu'on se marre ! On fait des bateaux en papier pour les petits, ils courent derrière leur bateau, et puis ils chialent parce que la bouche d'égout l'a mangé. Le cantonnier nous gueule dessus avec son balai, mais on s'en fout, on court plus vite.

Arrive un moment où les billes, ça t'intéresse plus autant. Si t'as un couteau, un bon, bien équilibré, tu joues à la carotte. Il y a des quartiers où les mômes jouent aux osselets, ça dépend de la mode du coin. Il y en a même qui jouent aux échecs, mais c'est pas un jeu marrant, ils restent des heures à regarder leur bazar sans rien dire. La passe anglaise, ça, oui, c'est un jeu vivant ! Tu lances les dés contre le mur, et tu regardes comment ils retombent. Ça va drôlement vite, c'est rien que de la triche, si t'es pas assez rapide tu te fais avoir à tous les coups. Naturellement, il faut jouer pour des sous, sans ça c'est pas intéressant.

BIJOUTERIE

CHARCUTERIE

AVANT
MOITIE PRIX

La jungle est au bout de la rue

Des fois, ils démolissent des maisons, et puis ils ne reconstruisent pas tout de suite des nouvelles maisons, va savoir pourquoi. Ça fait que tout ce coin-là reste vide, avec de tas de briques et de gravats qui étaient les maisons d'avant et des trous qui étaient les caves. Un terrain vague, ça s'appelle. Ils mettent une palissade autour pour pas que le monde y aille, mais c'est rien que des planches clouées sur des bouts de bois, tu parles, on a vite fait de s'arranger des passages secrets que seulement ceux de la bande connaissent. Il y pousse des herbasses et plein de saloperies, même des arbres, si ça dure un peu longtemps. Dans les trous il y a de l'eau qui reste tout le temps, et au printemps, dans cette eau, c'est plein de têtards qui gigotent, plein plein, comment ils sont venus là, j'en sais rien, et après il leur pousse des pattes, et ça devient des grenouilles ou des salamandres, tu peux pas savoir d'avance.

Bientôt, il y a tellement de verdure dans le terrain vague que tu peux jouer à la jungle. C'est plein de chats, alors tu dis que c'est des tigres féroces ou des panthères. Des vieilles cuisinières à gaz, aussi, il y a, et des postes de télé, des frigos, des carcasses de vélos ou de meules avec plus rien dessus, nous en s'en fait des cabanes. Tu cueilles des branches bien vertes et des herbes, tu les mets proprement sur la cabane, elle est complètement invisible, l'ennemi ne peut pas la voir. Du camouflage, ça s'appelle.

On est bien, dans notre cabane. On se serre parce que c'est tout petit, on se fait cuire des patates sous la cendre, on fume des clopes ou, si on n'en a pas, des lianes bonnes à fumer qui poussent justement sur les terrains vagues.

On fait des concours à celui qui pissera le plus haut, ou le plus loin, ou le plus longtemps. C'est difficile, il faut se pincer le bout du zizi et en même temps pousser de toutes ses forces, ça fait mal.

On joue au foot, aussi. Mais ça finit toujours par s'engueuler, parce que les mecs, quand ils ont le ballon, tintin pour faire la passe, et alors, à tous les coups, ils se font contrer, ou bien c'est le goal qu'est une vraie passoire, il veut pas plonger sous prétexte que c'est plein de bouteilles cassées, par terre.

Le terrain vague, c'est vachement chouette pour jouer à la guerre, parce que c'est juste comme un vrai champ de bataille qu'on voit sur les photos de la guerre. On se balance des briques et des pavés, et aussi des billes avec des lance-pierres. Mais où ça devient vraiment terrible, c'est quand ceux d'une bande d'un autre quartier s'amènent sur notre terrain à nous. Là, c'est la guerre pour de bon. On tire des billes d'acier au lieu de billes en terre, avec ça, si tu vises bien la tempe, tu peux traverser la tête d'un type et ressortir de l'autre côté, terrible! On tâche de faire des prisonniers, et alors on les torture parce que naturellement il faut les faire parler. On sait pas très bien ce qu'il faut leur faire dire, mais bon, il faut qu'ils parlent, mais pas tout de suite, sans quoi on pourrait plus les torturer, ou alors rien que pour le plaisir, mais ça c'est contraire aux Lois de la Guerre.

Un truc vraiment formidable, c'est quand il y a la fête, avec les manèges, les tirs, les autos-tampons, les loteries où que tu peux gagner des choses très belles qu'on trouve pas dans les boutiques, c'est défendu, c'est des choses spéciales fabriquées exprès pour les loteries des fêtes, tu as seulement le droit de les gagner, pas de les acheter, alors bien sûr ça te fait drôlement envie, si t'as des sous tu joues plein de fois, parce que naturellement plus tu perds plus tu t'énerves, et si tu finis par gagner tu t'amènes à la maison tout fier, tu fais cadeau du beau vase, ou de la belle lampe, ou du beau coussin, supposons, à ta mère, comme ça elle est tout heureuse et elle te refile des ronds pour retourner à la fête.

Les petits vont sur les manèges où il y a des cochons, des dadas, des avions, des trucs de mômes, quoi, mais nous, ce qu'on adore plus que tout, c'est les autos-tampons. En semaine, l'après-midi, il n'y a pas beaucoup de monde à la fête, presque personne, alors le gars des autos-tampons il nous fait faire des tours à l'œil, aussi longtemps qu'on veut, il dit que ça met de l'animation, comme si on était des vrais clients. Qu'est-ce qu'on se marre ! On prend de l'élan, on se rentre dedans à fond la caisse, badaschkouink, on saute en l'air, des fois même on se fait mal, mais on dit rien, on veut continuer à se rentrer dedans.

Le plus chouette, c'est quand on a des filles avec nous. Elles gueulent, elles ferment les yeux, leur jupe saute en l'air, on leur voit la culotte. Des fois, elles ont tellement peur, on arrive à les embrasser, elles osent rien dire. Le bonhomme des autos-tampons se fend la pêche. Mais c'est pas facile de les avoir avec nous, les filles, parce qu'elles ont toujours des petits frères à garder, et les petits frères, c'est très con, aussitôt que tu les laisses ça se met à chialer, ça veut monter aussi dans l'auto-tampon, mais ça c'est pas permis, alors ils gueulent « Je vais le dire à maman que tu me laisses tout seul et que tu te fais peloter par des garçons ! », et bon, quoi, faut leur payer de la barbe-à-papa ou bien une glace, mais des ronds on n'en a pas, et si on en a on aime mieux se les garder pour se payer des bégots ou des pipes.

Il y a des gars, des fils à papa, ou bien de commerçants, ils ont toujours du pèze plein les fouilles. Ceux-là, ils ont des tas de copains, ils leurs paient des tournées au tir à la carabine, si tu tires bien dans la cible tu gagnes la bouteille de mousseux. Le mousseux, c'est comme du champagne, mais c'est meilleur, c'est sucré. Ils boivent leurs bouteilles derrière la baraque, quand ils les débouchent ça saute en l'air, il faut se dépêcher de boire au goulot, ça te coule dans le col, vachement marrant, mais c'est pas aussi bon que ça devrait parce que c'est tout chaud, tu dirais de la pisse sucrée, alors les gars sont tout de suite bourrés et ils dégueulent partout, qu'est-ce qu'ils se marrent ! On voudrait bien avoir des copains pleins aux as pour nous payer des tournées au tir.

Il y a des gosses, ils ont un chien. Qu'est-ce qu'on aimerait en avoir un ! Ça te quitte jamais, un chien, c'est toujours avec toi, partout où tu vas, et c'est ton meilleur ami, plus ami que ton meilleur copain, même, tu peux lui faire tout ce que tu veux, n'importe quoi, il t'aime quand même, il

pleure quand t'es pas là, il remue la queue quand il te voit, il te fait la fête, toujours content, toujours, parce que t'es là. Mais, dans les immeubles, c'est défendu d'avoir des bêtes, seulement des petits oiseaux dans une cage tu peux avoir, et encore, à condition qu'ils ne fassent pas de saletés par la fenêtre sur la tête des passants. Alors, de chien, on n'en a pas, sauf ceux qui habitent dans des pavillons, mais c'est des gosses de riches, ceux-là, ils ne jouent pas avec nous. Tous on se dit que, quand on sera grands, on gagnera du fric rien que pour habiter dans un pavillon et avoir des chiens, des chats, des tortues, des hérissons, des canards, plein de bêtes marrantes, même un âne, et un aquarium avec dedans des poissons incroyables comme on en a vu au Jardin des Plantes, quand on a fait une sortie éducative avec la classe et le maître qui nous expliquait.

Qu'est-ce qu'il a de la veine, Tarzan, de vivre rien qu'au milieu des bêtes, dans une forêt pleine de bananes, de noix de coco, d'ananas et de choses bonnes à manger que t'as juste à tendre la main pour les cueillir ! Et ses copains les éléphants, les singes, les gorilles, les lions, les tigres, les panthères ! Quand il est en danger, il gueule de toutes ses forces, il pousse son grand cri de guerre, hop, aussitôt ses copains les bêtes rappliquent de partout et ils cassent la gueule aux sales types. Tarzan, c'est le héros qu'on préfère, dans les bandes dessinées. On se dit entre nous que, quand on sera grands, on ira en Afrique, dans la forêt, et on vivra comme Tarzan. On comprend pas pourquoi nos vieux restent ici, à travailler comme des pauvres cons, dans le froid et dans la pluie, au lieu d'aller manger des bananes et se faire des copains chez les éléphants. En plus, c'est vachement nourrissant, les bananes, et plein de vitamines, le maître nous l'a appris.

Dans le quartier, le samedi soir, il y a des soûlauds. C'est très marrant, un soûlaud, mais il faut faire attention parce que, des fois, c'est méchant. On les suit par-derrière pour voir toutes les conneries qu'ils vont faire, quand c'est un soûlaud pas méchant on le tire par la veste, on imite tout ce qu'il fait, qu'est-ce qu'on rigole ! Des fois, c'est le père d'un copain de la bande, alors on fait semblant de pas le voir, et s'y en a un qui se marre on lui cogne sur la gueule. Et le copain que le soûlaud c'est son père, il le prend par la main et il le ramène à la maison, parce que sans ça il pourrait se faire écraser ou ramasser par les flics. En classe, le maître nous a appris que l'ivrognerie est un vilain défaut, et même un vice, ce qui est encore pire. Il nous a dit aussi que fumer est un vice, mais lui, dans la cour de récré, il a toujours la cigarette au bec et ses moustaches sont toutes jaunes de tabac, alors nous on se dit que peut-être bien qu'il se soûle la gueule le samedi soir, le maître, mais que naturellement il fait ça chez lui, avec les rideaux bien tirés, pas au bistrot, parce que tout le monde le verrait et on le traiterait de menteur.

Il y a les clodos, ils sont toujours bourrés, mais pas bourrés bourrés, juste assez bourrés pour pas se faire de bile. Ils se mettent deux ou trois ensemble, dans un coin peinard, et ils sifflent des litres tant qu'ils ont des ronds. Quand ils n'en ont plus, ils vont faire la manche à la sortie du

métro, et hop, ils remettent ça. On aimerait pas devenir des clochards, c'est sale dégueulasse et ça pue. Nos vieux nous disent que voilà ce qui arrive quand on est paresseux et tête-en-l'air au lieu d'être travailleur et de bien étudier quand on a la chance d'aller à l'école.

Nous, les clodos, on leur pique leurs litrons vides pour aller les reporter à l'épicier, parce qu'ils sont consignés, mais les clodos s'en foutent, alors, nous, ça nous fait des ronds pour s'acheter des bégots. On peut aussi en piquer dans les poubelles, mais les chiftirs te courent au cul parce que c'est leur boulot à eux, et puis, c'est dégueulasse, les poubelles, tu t'en mets plein les pattes, beurk !

Un qui a un vélo, il est le roi. Il va où il veut. Au printemps, il va au muguet, ou aux coucous, qui sont des fleurs jaunes, très belles. Il fait son crâneur en lâchant les mains, il attrape le cul des camions et se fait tirer dans les côtes, c'est chouette. Sur ton vélo, tu te faufiles entre les bagnoles, des fois ça passe juste juste, les épaules frôlent, tu fermes les yeux, t'en mènes pas large... Tu vas comme ça jusque sur le boulevard, sous le métro aérien, pour regarder les costauds en maillot de corps qui lèvent des poids tellement gros que tu te dis que c'est pas possible. Remarque, ce qui vaut le jus, c'est pas tellement le moment où le gars arrache la fonte, non, c'est avant, tout le long du baratin pour que les bonnes pommes donnent des sous à la quête. C'est toujours les mêmes vannes, toujours le même bagout, tu connais tout ça par cœur, n'empêche que ça marche à tous les coups, nous, les mômes, on adore.

Quand on dit qu'on voudrait aller à la piscine, les parents nous donnent des sous sans râler trop fort, parce que la piscine c'est sain et sportif et que la natation est une chose excellente pour la croissance et pour t'élargir la poitrine. Nous, à la piscine, on fait rien que des plongeons, c'est vraiment le plus marrant de tout, on fait les acrobates, même des sauts périlleux on fait, ou alors on joue à noyer un copain, un pas costaud un peu fifils à sa maman. On arrive en nageant par-derrière, on lui appuie les mains sur la tête, naturellement il boit une tasse terrible, et quand il est sous l'eau on lui pose les deux pieds sur les épaules et on pousse de toutes ses forces. La crise ! Le gars va droit au fond, il ne sait plus où il en est, il se cogne la tête contre le carrelage, il roule dans tous les sens, il finit par remonter à moitié asphyxié, il tousse, il pleure, et toi, bien sûr, tu t'es esbigné, y a plus personne, tous les potes se marrent bien. Des fois, on dit qu'on va à la pistoche et, avec les sous, on se paie le cinéma, mais faut pas oublier de mouiller son slip de bain avant de rentrer.

Il y a aussi le patronage du curé et le patronage laïque du quartier, les parents aiment bien parce que c'est convenable et qu'on est surveillés, et puis on nous file un quatre-heures. Nous, on aime mieux la rue, on est toute la bande, et toutes les caves qu'on connaît, les terrains vagues, les squares, toutes les conneries qu'on peut faire... On est libres, quoi.

Mise en page Massin
Composition Bembo roman, Imprimerie Blanchard fils
Papier Créaprint, Torras
Photogravure N.S.R.G.
Impression Aubin Imprimeur
Archives Agence Rapho
Tirages Atelier Pictorial
Reliure Brun

Achevé d'imprimer en janvier 1990
sur les presses de Aubin Imprimeur Poitiers-Ligugé
Dépôt légal janvier 1990 — Imprimeur n° P 33893